DRÔLE
DE MOINEAU

DRÔLE
DE MOINEAU

Marie-Andrée Boucher Mativat

 Les éditions
Héritage inc.

Données de catalogage avant publication (Canada)

Mativat, Marie-Andrée, 1945-

Drôle de moineau

(Collection Échos)
Pour les jeunes.

ISBN: 2-7625-7658-X

I. Titre. II. Collection.

PS8576.A8288D76 1993   jC843'.54 C93-097300-3
PS9576.A8288D76 1933
PZ23.M37Dr 1993

Édition originale © Les éditions Héritage inc. 1991
Réédition © Les éditions Héritage inc. 1994
Tous droits réservés

Dépôts légaux: 1er trimestre 1994
Bibliothèque nationale du Québec
Bibliothèque nationale du Canada

ISBN: 2-7625-7658-X   Imprimé au Canada

LES ÉDITIONS HÉRITAGE INC.
300, Arran, Saint-Lambert (Québec) J4R 1K5
(514) 875-0327

*À François qui déteste
la campagne !*

*À Geneviève qui adore
les grands espaces
mais a horreur des concours !*

Préface

Pour Luc, les grandes vacances riment avec Mac Do, vidéo et Gino — le complice de toujours avec lequel il prépare un prototype de planche à roulettes à voile. Alors, quand ses parents lui annoncent à la dernière minute qu'ils partent tous les deux en Europe, et que ses grands-parents vont prendre soin de lui pendant leur absence… autant dire que le ciel lui tombe sur la tête.

Il faut dire que Luc a horreur de la campagne, on peut même parler d'allergie dans son cas. Or, Julien et Fernande, même s'ils sont « dépareillés », ont l'abominable défaut de vivre dans un patelin reculé, à des kilomètres du monde civilisé. Que faire dans un cas pareil ? Comme il ne peut tout de même pas rester tout seul, Luc est bien obligé de se résigner et part, la mort dans l'âme, s'enterrer pour un mois à Sainte-Geneviève.

Ce qu'il n'a pas prévu, c'est que la campagne va l'apprivoiser en douceur. Jeune citadin bon teint, coupé de ses racines avec la nature, Luc va apprendre à observer, à respecter et à aimer ce qu'il redoutait tant. Il découvre avec passion l'incroyable richesse de ce qui l'entoure mais c'est aussi lui-même qu'il explore et met à l'épreuve. Cette métamorphose ne se fait pas toute seule. Il trouve aide et compréhension dans l'attitude ouverte de ses grands-parents. Et puis, il y a Martine, la jeune voisine, super-plongeuse et imbattable pour identifier tout ce qui porte plumes et bec, qui devient son amie. Luc a l'air bien «épais» à côté d'elle et, piqué au vif, met les bouchées doubles pour être sur la même longueur d'ondes... d'autant plus qu'il la trouve pas mal jolie et que c'est la première fois qu'une fille lui fait cet effet-là.

L'auteure de ce roman, Marie-Andrée BOUCHER MATIVAT, met en scène un DRÔLE DE MOINEAU bien de notre époque, intelligent, curieux et avide de connaissances. Elle écrit depuis longtemps pour les jeunes et aborde ici, avec bonheur, l'univers complexe des pré-adolescents. Femme de grand bon sens, elle écrit avec une simplicité où l'humour et la tendresse se côtoient harmonieusement. Elle est à l'écoute des jeunes et sait nous faire partager leurs émotions avec autant de finesse que de pudeur.

Bonne lecture !

Angèle Delaunois

I

Vive les vacances !

Enfin les vacances ! Depuis le temps que j'attendais ça ! Cent quatre-vingts jours, c'est long !

Cette année encore, et pour la dernière fois, Louise a tenu à m'inscrire au camp de jour.

Louise c'est ma mère. Elle travaille à la Caisse Populaire Sainte-Madeleine.

Paul, mon père, a son bureau dans une grande tour du centre-ville. Le matin, il quitte la maison vers huit heures et rentre rarement avant dix-huit heures. Souvent même plus tard.

Depuis que j'ai quitté la garderie, chaque été j'ai eu droit au camp de jour.

Évidemment, à mon âge, je pourrais me garder seul. Mais Louise ne veut rien écouter.

Le camp de jour, ça n'est pas si terrible ! On se baigne à la piscine municipale, on pique-nique dans les parcs, on fait des excursions à bicyclette, des visites de musées…

On a des cours de natation, d'arts plastiques. On va même au cinéma. Ça, j'adore! Vous devriez nous voir toute la bande dans le métro!…

L'ennui c'est que je dois me lever tôt. Presque aussi tôt que durant l'année scolaire. Mais le pire, c'est que je ne peux pas voir Gino.

Gino Téoli, c'est mon meilleur copain! Nous sommes inséparables, lui et moi. Mais il n'est pas inscrit au camp de jour. Lui, c'est sa grand-mère qui le garde.

Il vient me rejoindre après souper. On s'amuse dans la piscine. On fait de la planche à roulettes. On regarde nos émissions à la télé. On écoute de la musique. On travaille sur l'ordinateur de mon père ou encore on bricole.

L'an dernier, nous avons mis au point la poubelle téléguidée. Finies les corvées! Grâce à ce système, la poubelle roulait toute seule jusqu'au trottoir.

Actuellement, on travaille à la fabrication d'une voile pour notre planche. Dans quelques jours, on devrait être prêts pour les premiers essais. Pourvu qu'il y ait beaucoup de vent!

Quand on a assez d'argent de poche, on va louer une vidéocassette ou manger au McDo de la rue Fournier. Souvent, Pierre Lépine et Serge Plamondon nous accompagnent.

J'ai hâte de voir leur tête à ces deux-là lorsqu'on va sortir notre planche à roulettes à voile…

Il n'y a pas de filles dans le groupe. Et ça n'est pas moi qui m'en plaindrai. Les filles me tapent assez sur les nerfs! En tout cas, Sophie Rondeau. Celle-là, depuis que Danièle, mon prof de français, nous a mis en équipe pour un travail, elle est toujours sur mes talons! Un vrai pot de colle!

Quand je suis seul, j'écris ou je dessine. En un mot, j'avance ma bande dessinée.

Louise prétend que c'est génial! Ça, c'est bien les mères! S'il fallait que je me fie à elle, je ne trouverais aucune casquette assez grande pour ma grosse tête enflée.

Cet été, Louise et Paul m'ont promis un voyage à Ottawa. Je pourrai enfin visiter le Musée national des sciences et de la technologie. Ça va être super!

Pourvu que mes chers parents ne soient pas saisis au dernier moment par un «trip» retour à la nature et cure de grand air!

Ça les a pris, une fois. Comme un virus. Comme une envie de chocolat. Depuis, je déteste la campagne!

Cette année-là, Paul et Louise avaient décidé d'aller passer quelques jours sous la tente, en Mauricie. Une expérience dont je me souviendrais toute ma vie, selon eux.

Là-dessus ils avaient raison !

La semaine avant le départ, Paul a été retenu au bureau tous les soirs. De son côté, Louise a attrapé une mauvaise grippe. Au beau milieu de l'été ! Il paraît que c'est pire ! Dès qu'elle arrivait à la maison, elle allait se coucher.

Malgré tout nous avons réussi à partir à la date prévue. Sans toutefois avoir testé notre équipement.

Après plusieurs heures de voyage, nous sommes enfin arrivés au terrain de camping !

Nous avons d'abord choisi un emplacement au bord du lac : un espace gazonné, entouré d'arbres.

D'un poteau de ciment sortaient un robinet d'eau froide et une prise électrique. Le confort, quoi !

Plus loin, un barbecue rouillait près d'une table à pique-nique.

Après avoir déchargé le matériel, nous avons repéré le meilleur endroit pour poser la tente et entrepris de la monter.

C'est à ce moment-là que Paul a réalisé qu'il avait laissé la notice explicative… à la maison, près du téléphone, avec la facture.

— À la guerre comme à la guerre ! a-t-il lancé d'une voix forte pour nous encourager.

Juste à ce moment, tous les maringouins du coin ont foncé sur nous à la vitesse grand V ! Des maringouins par milliers ! Gros. Voraces. À tout instant nous devions interrompre la manœuvre pour en tuer quelques-uns sous peine d'être dévorés vivants.

Vous auriez dû voir le résultat…

Notre tente ressemblait à tout, sauf au modèle dernier cri qu'on nous avait montré au magasin !

Le voisin, un sourire en coin, est sorti de sa roulotte pour nous saluer. Il nous a affirmé que plus au nord, les moustiques étaient si gros qu'il fallait un fusil de chasse pour les abattre.

Très drôle… vraiment très drôle ! Nous n'avions pas le cœur à rire. Surtout que le vent s'était levé et qu'il s'était mis à pleuvoir à boire debout. Un orage de fin du monde !

Louise et moi luttions contre les rafales en agrippant les mâts. De son côté, mon père, un chaudron à la main, tournait en tous sens, essayant de recueillir la pluie qui s'accumulait sur le toit mal tendu et dégouttait à l'intérieur. Un cauchemar !

Nous avons dormi dans l'auto. Tout le monde éternuait et grelottait. À croire que nous faisions un concours.

L'orage s'est dissipé mais la pluie a continué. Toute la nuit.

Au matin il pleuvait toujours et le ciel était complètement bouché.

Mon père a ouvert la radio juste à temps pour entendre les prévisions de la météo.

— Qu'est-ce qu'elle dit ? a demandé Louise en voyant l'air enragé de mon père.

— Tu parles d'un climat ! Il va pleuvoir comme ça pratiquement toute la semaine !

— QUOI ?

— Qu'est-ce qu'on fait ? ai-je demandé timidement.

Paul et Louise se sont regardés un moment.

— On rentre ! a lancé mon père.

Ouf ! Je l'avais échappé belle ! Je ne me voyais pas du tout coincé là pendant plusieurs jours à attendre que le soleil revienne.

Et même si nous étions allés à l'hôtel… Que voulez-vous faire à la campagne quand il pleut ? Rien, justement. Y a rien à faire ! Comme dit mon père, c'est mortel !

Je me demande souvent comment Louise a pu vivre plus de vingt ans à Sainte-Geneviève ! Elle a dû trouver ça ennuyant par bouts !

Je l'ai aidée à replier la tente, tandis que Paul, vert de rage, donnait de grands coups de pieds dans les pneus de l'auto.

Durant la nuit, le moteur s'était enroué et la voiture se faisait prier pour démarrer.

Le voyage de retour s'est effectué sans un mot et sans halte pipi. Je n'ai même pas eu le

14

courage de prévenir mes parents que j'avais oublié Boubou au camping. Boubou, mon ours fétiche, celui qui veillait sur mon sommeil depuis ma naissance.

II

Quand les parents
s'en mêlent

Décidément, les vacances s'annoncent bien! Ce matin, au déjeuner, Louise et Paul ont été catégoriques. Pas de camping! Ouf! N'empêche qu'ils se sont regardés d'un drôle d'air… Enfin…

Après dîner, Louise m'a proposé d'aller au cinéma. Elle me laissait le choix du film. Pour une fois! D'habitude elle en fait toute une histoire:

— Non, Luc. Pas question! C'est trop violent!

À l'entendre, les films que j'aime sont toujours trop ceci ou pas assez cela. Si je l'écoutais, j'irais encore voir des productions de Walt Disney! À mon âge!

Comme tous les samedis, mon père était plongé dans *La Presse* de fin de semaine. Les cahiers traînaient déjà partout sur le tapis du salon. Je l'ai invité à nous accompagner. Il a grogné quelque chose d'incompréhensible.

Inutile d'insister. Quand Paul lit son journal, la maison pourrait s'écrouler, il ne s'en rendrait même pas compte.

Il ne s'est donc pas aperçu de notre départ. Ma mère lui a laissé un mot sur la table pour lui rappeler de tondre le gazon.

Le film était super! Un film d'action. Comme je les aime!

Après le cinéma, Louise m'a offert d'aller chez McDo. Étonnant. Ma mère est férocement contre le fast-food! Pourtant, elle a à peine sourcillé lorsque j'ai commandé un Big Mac, un gros Coke, un sundae et un chausson aux pommes.

Tant de compréhension!... Ça devenait suspect. Malgré leurs affirmations, mes parents auraient-ils remis le camping au programme des réjouissances estivales?

— Tu passes un bon après-midi? m'a-t-elle demandé en picorant sa salade.

Comme j'avais la bouche pleine, j'ai fait oui de la tête. Alors Louise s'est mise à parler, parler...

Selon elle, mon père était épuisé. Elle insistait: É-PUI-SÉ!

«Eh, j'avais compris! Pas besoin de me faire un dessin. »

D'ailleurs, a-t-elle ajouté, elle aussi avait besoin de repos. Elle n'avait pas pris de vraies vacances depuis?... Ah, depuis une éternité!

— … Ce séjour en Europe, c'est une occasion inespérée ! Le voyage de ton père est entièrement payé par le bureau. Ce sera une seconde lune de miel. Tu comprends ?

Il y a eu un déclic dans ma tête. Pour comprendre, je comprenais ! Mes chers parents me flanquaient là, comme une vieille chaussette, pour aller roucouler en France.

— … Je sais que nous aurions dû t'en parler, mais ça s'est décidé si vite…

Paris ! Les châteaux de la Loire ! La cathédrale de Chartres ! En disant ça, Louise salivait de plaisir comme moi lorsque je parle cinéma ou ordinateur.

Du coup, mon chausson aux pommes ne me disait plus rien.

— Qu'en penses-tu ?

Je l'ai regardée droit dans les yeux :

— Et moi ? vous me casez où ?

* * *

Ils s'en vont dans trois jours et ils n'ont encore touvé personne à qui me confier.

Ce matin, Louise a téléphoné à son frère Léopold. Pas de réponse.

Léopold, je l'adore ! À trente-cinq ans, il se conduit comme s'il en avait dix. Son truc préféré ? Imiter Tarzan sur le tremplin de sa piscine.

La bedaine à l'air, dans son caleçon de bain,

il se martèle les pectoraux à coups de poings en poussant le cri de son héros. Tordant !

Ce serait la solution idéale ! De plus, il habite tout près d'ici. Je pourrais donc continuer à voir Gino.

Louise a fini par le joindre au téléphone. Enfin, pas lui. Tante Colette. Parce que pour ce qui est de Léopold… ça ne va pas fort.

Aujourd'hui, ils sont allés aux glissades d'eau pour fêter le début des vacances.

Pour faire le malin, Léopold a décidé d'essayer la plus haute : le *Kamikaze*. Il a voulu épater les surveillantes en poussant son célèbre cri : AIIIOOOOOOO !

Hélas, il a perdu pied et dévalé la glissoire à l'envers. Aïe..ïe…ïe… Splash ! Depuis, il a mal au dos et monte les escaliers à quatre pattes. Même que tante Colette l'emmenait à l'urgence de la polyclinique quand le téléphone a sonné. Colette veut en avoir le cœur net. Surtout qu'elle et son « roi de la jungle » doivent partir à Old Orchard samedi prochain avec Jean et France Gagné, leurs meilleurs amis.

Dommage…

Je suis revenu à la charge :

— Je peux bien me garder tout seul ! Je ne suis plus un bébé !

Ma mère a levé les yeux au ciel en poussant un long soupir.

Bout de banane, qu'elle m'agace quand elle fait ça !

— Vous pouvez toujours me suspendre dans la garde-robe en cèdre. Avec quelques boules à mites dans les poches, je devrais me conserver... Vous me décrocherez à votre retour !

— Ne sois pas insolent ! a tranché mon père.

Eh oui ! J'avoue. Quand je suis irrité, je deviens parfois odieux. Remarquez, je n'ai jamais dit que j'étais parfait.

* * *

Au moment de me mettre au lit, j'ai entendu ma mère proposer :

— Que dirais-tu d'envoyer Luc à Sainte-Geneviève ?

Mon père a failli s'étouffer :

— À Sainte-Geneviève ! Tu n'y penses pas sérieusement ?

— Si, justement.

— Le petit va s'ennuyer à mourir là-bas ! Tu sais qu'il déteste la campagne.

Eh, que j'haïs ça quand mes parents m'appellent « le petit » !

Ma mère s'entêtait :

— Quoi ! j'y ai vécu jusqu'à notre mariage et je n'en suis pas morte ! Le grand air lui fera le plus grand bien.

— En cherchant encore on pourra peut-être trouver quelqu'un d'autre…

— On peut savoir ce que tu reproches à mes parents, Paul Beaulieu?

Lorsque ma mère appelle mon père comme ça, croyez-moi, il y a de l'orage à l'horizon.

— Moi?… Rien… a répondu mon père.

— Dis plutôt que tu n'as pas encore digéré le dernier cadeau de Fernande.

— J'aurais bien voulu te voir à ma place!

— Il y a trois mois de ça, s'est écriée ma mère, reviens-en!

— Jamais, je n'ai été aussi humilié. On sait bien, tu ne peux pas comprendre ça.

— Qu'est-ce que tu veux dire?

— Rien! a répliqué sèchement mon père.

Louise n'a plus ajouté un mot. À quoi ça aurait servi? Paul boudait.

Chose certaine, je n'ai pas du tout envie d'aller passer mes vacances à Sainte-Geneviève! La campagne, non merci! Je croise les doigts. Espérons que la nuit portera conseil à ma chère maman.

* * *

Faut croire que la nuit était contre moi.

Ce matin, Louise a téléphoné à mes grands-parents. Ils acceptent de me garder. Évidemment, ils sont fous de joie!

Tant mieux pour eux. Parce que pour moi…

Remarquez, s'ils habitaient en ville, Fernande et Julien seraient des grands-parents parfaits.

Mais à Sainte-Geneviève !…

* * *

Louise m'a servi des boniments pendant un quart d'heure avec autant de conviction qu'un marchand d'aspirateurs :

— Ça va être chouette ! Tu vas pouvoir faire la grasse matinée ! Toi qui aimes tant te lever tard…

— Tu sais que je déteste la campagne !

— Comment peux-tu dire ça ? Tu n'y es jamais resté plus de quarante-huit heures. Ne viens pas me dire que c'est à cause de cette malheureuse histoire de camping… Il faudrait peut-être que tu tournes la page ! Tu es bien comme ton père !

— Qu'est-ce que tu lui reproches à mon père ?

— Luc, ne me parle pas sur ce ton ! Je suis ta mère !

C'est son argument massue, lorsqu'elle est à bout d'inspiration.

Je me suis excusé du bout des lèvres. Elle a continué sa plaidoirie :

— Et puis, il y a le fils des Durocher, les voisins.

— Rémi ?

— Je suis certaine que vous allez bien vous entendre tous les deux.

J'ai protesté:

— Eh, là, tu pousses! Si je lui ai parlé deux fois, c'est beau.

— Justement. Vous allez pouvoir faire connaissance. D'ailleurs, c'est toujours quand on pense qu'on va s'ennuyer qu'on s'amuse le plus.

Elle marquait un point. Mais pas question de le lui dire. Elle m'envoyait en exil, à l'autre bout du monde, et pour un mois! Je n'allais pas la féliciter…

Elle insistait:

— En plus, les météorologues prévoient un été magnifique.

— Manquerait plus qu'il pleuve!

— Luc Beaulieu!

Je vous l'ai dit. Il m'arrive parfois d'être odieux.

Je me raccrochais à un dernier espoir:

— Et papa? Qu'est-ce qu'il en dit, lui?

— Il est d'accord.

Du coup, je me suis senti trahi. Orphelin.

— Je pars quand?

— Cet après-midi.

— Ça presse!

Louise a encaissé, mine de rien:

— Tu oublies que nous prenons l'avion demain…

Il n'y avait plus d'issue. J'étais piégé. Coincé. On me condamnait à un mois de campagne forcée !

III

Allons-y !

Après avoir fait ma valise, je suis allé dire au revoir à Gino.

Pauvre Gino ! Il était aussi déçu que moi. C'est qu'il va être obligé de faire les essais de la planche à roulettes sans moi.

— Tu pourrais peut-être m'écrire pour me dire si ça fonctionne. Je vais te donner mon adresse là-bas.

Gino a levé les épaules :

— Tu sais bien que je ne suis pas bon en français.

— Réveille, Gino ! Tu n'es pas à l'école. Je m'en fous, moi, de ton français. J'aimerais juste que tu me donnes des nouvelles !

— O.K. C'est O.K. Je note l'adresse.

— C'est simple : Luc Beaulieu... aux soins de Julien Leduc...

— Pourquoi « aux soins de » ?

— C'est pour dire au maître de poste que cette lettre-là est pour quelqu'un qui demeure chez Julien Leduc.

— Je comprends.

— Après tu écris: Sainte-Geneviève, et, en dessous, Comté de Neuville.

— Tu oublies le numéro de porte, le nom de la rue…

— Pas la peine! Là-bas, c'est tellement petit, tout le monde se connaît.

— Et le code postal, alors?

— H9X 3W7. D'ailleurs, c'est le même pour tout le monde.

Gino n'en revenait pas!

— Pas de numéro de porte? Pas de nom de rue? Le même code postal pour tout le monde! Dis-moi comment il fait le facteur?

— Y a pas de facteur. On va chercher le courrier au bureau de poste.

Incrédule, Gino s'est exclamé:

— Pas de facteur! Dis donc, c'est drôlement loin chez tes grands-parents!

Ça, pour être loin, c'est loin!

* * *

Comme elle devait préparer les bagages, Louise est restée à la maison. C'est mon père qui est venu me conduire.

Nous n'avons pas dit trois mots de tout le trajet. Au bout de deux heures, nous avons quitté l'autoroute.

Il restait encore des kilomètres et des kilomètres de routes de campagne avant d'arriver.

Je n'ai pas pu m'empêcher de lancer une mauvaise blague:

— J'ai l'impression que vous êtes en train de me faire le coup des parents du Petit Poucet…

Il a souri. À peine. Je crois qu'il pensait encore au cadeau de Fernande et qu'il n'avait pas follement envie de la revoir. C'est que mon père n'oublie pas facilement. Moi non plus d'ailleurs!

Au fait, il serait peut-être temps que je vous en parle de ce fameux cadeau!

L'hiver dernier, mes grands-parents ont passé un mois au Mexique. À leur retour, nous sommes allés les accueillir à l'aéroport.

Paul s'est fait tirer l'oreille pour venir mais il a cédé.

Nous nous sommes postés devant la porte numéro six. Nous n'avons pas eu à attendre longtemps. Mes grands-parents sont sortis les premiers. Au grand désespoir de mon père d'ailleurs…

C'est que, pour la circonstance, Fernande avait choisi une tenue… disons… ensoleillée. Une combinaison brune parsemée de tulipes jaunes, turquoise et rose «fluo». Une vraie plate-bande!

S'il n'y avait eu que ça!… Mais voilà, elle était coiffée d'un immense sombrero! Noir. En velours. Entièrement recouvert de broderies dorées.

Elle s'est précipitée vers nous pour nous embrasser, en exécutant quelques pas de danse.

Tout le monde riait. Sauf mon père. À ses yeux, ce sombrero méritait l'Oscar de la quétainerie !

Grand-mère lui a tendu la joue :

— Alors, mon gendre, on n'embrasse pas belle-maman ?

Paul lui a donné un petit bec vite fait. Mais Fernande ne le lâchait pas :

— Vous ne pourrez pas dire que je vous ai oublié. C'est à vous que j'ai rapporté le plus beau souvenir !

En disant ça, elle a enlevé le sombrero et l'a enfoncé... sur la tête de mon père.

— Avouez qu'il est superbe !

Paul n'avait plus de voix. Mon père a une peur bleue du ridicule ! Fernande venait de le plonger en plein cauchemar.

Surtout que monsieur Langevin est arrivé juste à ce moment-là.

Robert Langevin, c'est le grand patron de Langevin, Trudeau et associés : le bureau pour lequel mon père travaille.

— Beaulieu ! C'est vous ?

Paul s'est mis à bafouiller. Comme un enfant surpris en train de faire un mauvais coup :

— Euh !... Non... Enfin...

Jamais, je le sentais, mon père n'avait eu

aussi honte ! Comme moi quand le grand Martin Laviolette a commencé à m'écœurer en disant à tout le monde que Sophie Rondeau était ma blonde.

Je devais faire quelque chose. Et vite !

J'ai attrapé le maudit sombrero, en faisant semblant d'en mourir d'envie :

— Il est à moi !

— Tu vois, Julien, a dit Fernande, c'est moi qui avais raison. On aurait dû en acheter deux !

Grand-père s'est tourné dans ma direction et m'a adressé un clin d'œil. Grand-père comprend tout ! Pas besoin d'explication. On dirait qu'il a des antennes.

— Voyons, Fernande, si le sombrero fait plaisir à Luc... Au prochain voyage, nous rapporterons autre chose à Paul.

Grand-mère a hésité. Mais elle a fini par accepter :

— À une condition !

— Laquelle ? ai-je demandé.

— Que tu emmènes ton père et ta mère à Sainte-Geneviève, voir les diapositives de notre voyage.

— Maman !... a soupiré Louise, tu ne vas pas recommencer. Je t'ai dit cent fois...

— Quoi ? On ne vous voit jamais !

* * *

Cette fois, on allait se rattraper. J'aurai le temps de regarder toutes les diapositives qu'on voudra bien me montrer.

Quand nous sommes arrivés, grand-père sortait de la boutique. Il nous a fait de grands signes de bienvenue.

Grand-mère était absente. Elle rentrerait pour le souper.

— Une répétition du chœur de chant, a précisé Julien.

Du coup, Paul a semblé retrouver sa bonne humeur. Il a bavardé un moment avec Julien, tandis que je montais à ma chambre déposer mes valises.

Mon père n'a aucun talent pour les scènes d'adieux. Quand je suis descendu, il m'a tapoté le dos puis m'a tendu la main:

— Nous t'enverrons des cartes postales… Un mois, c'est vite passé. Tu n'auras pas le temps de t'ennuyer.

J'en doute. Je m'ennuie déjà!

IV

Sainte-Geneviève

Sainte-Geneviève, c'est trois maisons au bord d'une rivière. J'exagère un peu mais à peine.

Pas de cinéma. Pas de McDo. La désolation, quoi !

Pas non plus de club vidéo. Pour louer une cassette, il faut aller au dépanneur. Et quel choix ! Les films offerts tiennent sur les quelques tablettes d'une vieille armoire. Aussi bien dire qu'il n'y a rien.

Julien a senti que j'avais le moral à zéro :

— On va prendre bien soin de toi, tu verras. Il a passé son bras autour de mes épaules :

— Dépêchons-nous ! Nous avons tout juste le temps de préparer le souper avant le retour de ta grand-mère.

Nous avons tourné le dos à la route et couru ensemble vers la maison.

Mes grands-parents habitent à la sortie du village. Là où la rivière Noire fait un coude et prend de la vitesse avant de sauter les chutes et de traverser en bouillonnant le parc régional.

C'est le père de Julien qui a construit la maison. Une grande maison en bois, entourée d'une large galerie couverte.

Au mois de mai, grand-père l'a entièrement repeinte en bleu-gris et blanc sur les ordres de Fernande.

J'avoue que c'est très joli. Faut croire que grand-mère est plus douée pour la décoration que pour choisir les cadeaux de son gendre.

Ce que j'aime le plus dans cette maison, c'est le pignon de la façade avec son balcon envahi par les branches du vieil érable.

J'aime m'y asseoir pour écouter de la musique, lire ou dessiner. Ce balcon me fait l'impression d'une cabane dans les arbres. Quoi? Non, ce n'est pas téteux. Tout le monde en rêve, un jour ou l'autre.

En entrant dans la cuisine, Julien s'est immédiatement mis aux chaudrons:

— Tu aimes toujours les spaghettis?

— J'adore! Surtout les tiens!

— Je mets l'eau à bouillir et tu commences à laver la salade. Ça te va?

J'aime bien faire la cuisine avec Julien. Avec Paul, on ne cuisine pas souvent. Sauf l'été, sur le barbecue.

Comme dit Fernande, Julien est un homme moderne. Et sportif, en plus! Depuis qu'il est à la retraite, il fait du ski, de la bicyclette. Il joue au golf. À la balle molle. Il est même président de la ligue des *Old Timers*.

Fernande, de son côté, est échevin et présidente fondatrice des « Vaillants Voyageurs », une association qui organise des voyages pour les aînés. D'où le séjour au Mexique, l'hiver dernier.

Elle songerait même à se présenter à la mairie aux prochaines élections. C'est ce que m'annonçait fièrement Julien en mettant la table.

— Super! Ma grand-mère, maire!

— Doucement. Rien n'est encore fait. Ce n'est pas une décision qu'on prend sur un coup de tête. Si Fernande était élue à ce poste, elle aurait beaucoup de responsabilités.

— Ça ne te dérange pas?

— Pas du tout! J'ai mes propres activités. D'ailleurs, quand on cherche un peu, on trouve toujours de quoi s'occuper. Surtout à la campagne!

Je n'ai pas pu m'empêcher de soupirer:

— C'est toi qui le dis. On en était là lorsque grand-mère est entrée.

Elle a traversé la pièce pour venir m'embrasser:

— Tu ne peux pas savoir comme ça nous

fait plaisir de t'avoir avec nous pendant tout UN MOIS!...

Je me suis retenu de lui dire de ne pas trop insister là-dessus. Je ne voulais pas gâcher sa joie. Y avait assez de mes vacances…

— … Regarde-moi un peu. Ma foi, tu as encore grandi!

Elle recommençait. À l'entendre, je serais de la graine de géant. D'accord, je ne suis pas aussi petit que Serge Plamondon mais je ne suis pas le plus grand de ma classe non plus.

Sûr que, pour mes trente ans, Fernande va m'embrasser en disant:

— Ma foi, Luc, tu as encore grandi!

Durant le repas, grand-mère m'a fait subir un interrogatoire en règle. Elle voulait que je lui parle de Gino, de l'école, de mes derniè-res inventions.

Ensuite, elle nous a raconté que ça bardait au village:

— Imaginez que Thérèse Frigon et Claire Trépanier ont débarqué à la mairie, ce midi. Avec leur panier à linge.

Julien ouvrait de grands yeux:

— Quoi?

Fernande riait doucement:

— C'est comme je te le dis. Elles ont étalé leur lessive sur la table du Conseil.

J'ai failli en tomber en bas de ma chaise! Grand-père jubilait:

— J'aurais donné gros pour voir la tête de Maurice Dessureault!

Si j'ai bien compris, les gens en ont assez. Ils ont donc décidé de passer à l'action.

Au village, un verre d'eau, c'est une pochette-surprise. Par moments, l'eau du robinet est tellement rouillée qu'elle ressemble à du thé. Impossible alors de faire la lessive sans risquer de tacher les vêtements.

Depuis le temps que ça dure, pas étonnant que la population commence à rouspéter.

— Il faudrait remplacer toutes les vieilles canalisations. En tout cas, a conclu Fernande, ça risque de chauffer aux prochaines élections!

Julien n'a rien ajouté. Il sait que grand-mère a horreur qu'on lui pousse dans le dos! Il attend donc qu'elle prenne sa décision. Mais on sent bien qu'il serait fier si Fernande était la première femme à être élue maire de Sainte-Geneviève.

Au dessert, grand-père nous a servi un gros morceau de pouding aux fraises encore tiède.

Julien et Fernande ne sont pas tatillons en ce qui concerne la nourriture. Je me demande bien de qui Louise tient son petit côté granola.

En tout cas, ici, je vais pouvoir manger à ma guise. C'est toujours ça de pris.

Après souper, Julien m'a invité à aller faire une promenade à bicyclette. Fernande me prêtait sa dix-huit vitesses.

Quand nous sommes partis, elle lisait sur la galerie. Un ouvrage sur la qualité de l'eau.

Jusqu'à l'entrée du village, la route longe la rivière. Ensuite elle file entre deux rangées de maisons.

Julien saluait tout le monde. Et tout le monde saluait Julien.

Le plus fort c'est qu'ils étaient tous au courant de mon arrivée !

— Tu sais, m'a dit grand-père, ici les nouvelles courent vite.

— Tu parles ! Elles ne courent pas, elles galopent !

Au retour, Julien m'a proposé de faire une pause. Le temps de manger un cornet de crème glacée molle.

— Vous avez un *Dairy Queen* maintenant ?

Grand-père a souri. Malicieusement.

Il me semblait aussi, c'était trop beau pour être vrai ! Devinez où nous sommes allés acheter notre crème glacée...

_____

(Inscrivez votre réponse ici.)

Eh oui ! Au dépanneur. Je le savais que vous étiez de petits futés.

En rentrant j'ai voulu regarder la télévision. J'avais oublié qu'à Sainte-Geneviève on ne capte pas les postes américains. Ici, le choix se limite à deux ou trois chaînes régionales.

Julien et Fernande pourraient s'abonner au câble, mais ils refusent. Par principe.

Ils prétendent qu'on peut très bien vivre sans télé. Comme ma mère !...

Selon elle, la télévision vous vole votre temps. Même que, petit à petit, elle vous volerait aussi votre imagination.

Moi, je ne vois qu'une chose. Je devrai vivre un mois sans mes émissions favorites ! Je le sens, même les réclames publicitaires les plus débiles vont me manquer !

V

Ça commence mal!

Moi qui pensais me lever tard, j'étais debout à l'aube! Les oiseaux m'ont réveillé. Sifflent, gazouillent, piaillent… J'ai regardé ma montre: cinq heures… du MATIN!

On devrait les enfermer pour tapage nocturne! Je leur ai crié de se la fermer… Ils se sont arrêtés… deux secondes… Puis ils ont repris de plus belle!

J'allais me recoucher quand j'ai aperçu une silhouette sur le terrain des Durocher.

Quelqu'un traversait le champ en direction de la voie ferrée. Bizarre.

Au fait, je n'ai pas entendu Rémi depuis mon arrivée. D'habitude on le remarque facilement. Il se promène toujours sur un engin bruyant. Quand ce n'est pas une motoneige, c'est une mobylette ou une moto.

Il passe ses congés à les démonter et à les remonter. Un maniaque de la mécanique. Comme il est trop jeune pour avoir son permis, il roule autour du terrain.

Pourtant, je parierais que ce n'est pas lui que j'ai vu tout à l'heure. D'ailleurs, c'est impensable. Rémi... à pied? Voyons donc!

* * *

Au petit déjeuner, le ciel m'est tombé sur la tête! Julien m'a annoncé que les Durocher avaient vendu leur maison. Au printemps. Et les nouveaux voisins n'ont pas de garçon.

Décidément, tout va de travers! Ça dépasse mes plus sombres prévisions. Les oiseaux m'empêchent de dormir. Rémi a déménagé. Reste plus à espérer qu'il fasse beau!

En tout cas, je ne sais toujours pas qui se promenait dans le champ ce matin.

* * *

Ça y est! Je sais! Enfin, je crois. Vers la fin de l'après-midi, je suis monté m'asseoir sur le balcon.

Je dessinais tranquillement quand...

— Salut!

J'ai levé la tête. Personne. Je vous l'ai dit: la campagne ne me réussit pas.

La preuve? Moins de vingt-quatre heures après mon arrivée, je commençais à entendre des voix!

— Ton grand-père m'a dit que je te trouverais ici.

J'ai bondi sur mes pieds. Je ne rêvais pas!

La voix venait du vieil érable. Prudemment, j'ai écarté les feuilles…

Elle était là. À califourchon sur une grosse branche.

Qui ? Mais la nouvelle voisine, voyons ! Non… Pas la mère. La fille. Franchement !…

Elle s'est présentée :

— Je m'appelle Martine Gala…

Je n'en ai pas entendu davantage. Un camion qui roulait à un train d'enfer est passé sur la route, précisément à ce moment-là.

— Martine quoi ?

Elle a pris un petit air pincé :

— Galano.

— Galarneau, ai-je répété, machinalement.

Elle m'a regardé comme si j'étais le dernier des crétins :

— Non ! Ga-la-no !…

Et la voilà qui se met à m'épeler son nom.

— … C'est simple. Pourtant, on dirait que personne n'arrive à se rentrer ça dans le crâne !

Je commençais à la trouver pas mal « heavy » :

— Eh, pas de panique ! C'est pas ma faute si tu as un nom à coucher dehors.

— Évidemment, tout le monde ne peut pas s'appeler Beaulieu, a-t-elle répliqué aussitôt.

N'empêche, j'aurais été curieux de savoir où elle avait pêché un nom pareil ! Mais je n'allais pas risquer de me remettre les pieds dans les plats et de compromettre les relations de bon voisinage de mes grands-parents. Et puis elle m'invitait à me baigner.

— Vous avez une piscine ?

— Qu'est-ce qu'il y a d'extraordinaire à ça ?

— Ben… Les Durocher n'en avaient pas.

— Mon père a démoli le vieux hangar, de l'autre côté de la maison, et nous avons fait creuser une piscine à la place.

— Heureusement que nous n'avons pas la même eau qu'au village, sinon tu ne pourrais pas faire trempette souvent.

— Tu l'as dit !

Là-dessus, elle est repartie par où elle était venue. En sautant par terre, elle m'a crié :

— Après dîner, je viendrai te chercher.

J'ai repris mon dessin mais je n'arrivais plus à me concentrer. Je suis descendu rejoindre Julien.

Toute sa vie, grand-père a construit des maisons. Et, toute sa vie, il a rêvé de dessiner du mobilier.

Alors, avant de prendre sa retraite du bâtiment, il a acheté de la machinerie et construit son atelier.

Depuis, Julien y travaille chaque matin. Il fabrique tous les meubles dont il rêvait quand il montait des charpentes.

En m'apercevant, grand-père m'a demandé :

— Tu as vu Martine ?

— Oui. Elle est venue m'inviter à aller me baigner chez elle.

— Tu as accepté ?

— Pourquoi ne m'as-tu pas dit que les nouveaux voisins avaient une fille de mon âge ?

— J'ai pensé que ce serait amusant de t'en faire la surprise.

— Tu sais, moi, les filles…

Fernande est arrivée en coup de vent. Elle voulait nous prévenir que le dîner était prêt, mais que nous devrions nous charger de la vaisselle. Grand-mère était pressée. Elle avait promis à son amie, Aline Rompré, d'aller magasiner en ville.

Ensuite, elles iraient souper ensemble.

— Je veux la convaincre de venir au Mexique, l'hiver prochain.

C'est sans doute pour ajouter la couleur locale à ses arguments qu'elle avait revêtu une large jupe fleurie et un chemisier bouffant sur lequel dansaient des colliers de toutes les longueurs et de toutes teintes.

Grand-père m'a fait un clin d'œil complice :

— Ne t'inquiète pas, Fernande, on va se débrouiller.

* * *

Je venais de ranger mon linge à vaisselle quand Martine est arrivée:

— Salut! Ça te tente toujours de te baigner?

— Toujours!

— Vous pouvez venir aussi, monsieur Beaulieu. Marie vous invite.

— Je te remercie. Je crois que je vais profiter de l'après-midi pour frapper quelques balles de golf.

Le temps de le dire, je suis monté enfiler mon maillot de bain et nous sommes partis chez les Durocher. Enfin... chez les Ga-la-no.

VI

Martine

Une vieille clôture bordée de lilas et de cerisiers sauvages sépare les deux propriétés.

La maison des Galano est entourée d'arbres. Des feuillus et des conifères.

Derrière, le champ puis la forêt, coupée par le chemin de fer.

Nous avons enjambé les perches de cèdre :

— Le dernier arrivé est un trou de beigne ! a crié Martine en courant.

Arrivée près de la piscine, elle a jeté son tee-shirt sur une chaise et s'est élancée sur le plongeoir. Un saut. Deux sauts. Elle a exécuté un plongeon parfait ! Et dire que je me croyais doué !

En quelques secondes, Martine est réapparue à l'autre bout de la piscine.

— Qu'est-ce que tu attends pour en faire autant ?

Impossible ! Je le savais. Jamais je ne réussirais un si beau plongeon ! Elle était la meilleure ! Mais je n'avais pas envie qu'elle l'apprenne. En tout cas, pas tout de suite.

Je me suis donc assis sur le bord de la piscine et, prétextant que j'étais sujet à l'otite des baigneurs, je me suis glissé doucement dans l'eau. Elle n'a pas insisté. Mon honneur était sauf.

Madame Galano est venue me dire bonjour. C'est une femme souriante. Avec un drôle d'accent. Comme une musique.

Martine m'a expliqué que ses parents sont français. Du sud de la France. Mais elle, elle est née ici.

Avant de s'installer à Sainte-Geneviève, les Galano habitaient Neuville, la ville voisine.

Martine déteste la ville! J'aurais voulu savoir pourquoi mais elle s'est soudain mise à crier:

— Luc, regarde! Orville vient se baigner.

Orville? Qui c'est Orville? Où ça?

J'avais beau regarder partout, à part nous, je ne voyais personne.

Pourtant Martine insistait:

— Attends. Tu vas voir.

Et j'ai vu! Un oiseau bleu qui plongeait dans un couvercle de poubelle rempli d'eau.

— Regarde comme il est beau!

C'était lui, Orville? J'en étais baba! Moi qui avais toujours cru que les oiseaux bleus c'étaient des histoires pour endormir les enfants…

Celui-là avait une huppe et un dos bleus. Avec un peu de blanc et de noir sur les ailes. Mais son ventre était gris. D'un gris très doux. Une bande noire lui faisait un collier autour du cou.

Je n'en finissais pas de l'admirer.

— Tu t'intéresses à l'ornithologie, toi aussi?

— Enfin… C'est assez récent.

Tu parles, si c'était récent! N'importe quoi plutôt que d'avouer que je n'y connaissais rien! Enfin, presque.

Faudrait pas exagérer. Je suis tout de même capable de faire la différence entre un pigeon et un moineau!

Même que je m'en passerais facilement. À cause des petits cadeaux qu'ils lâchent un peu partout. Non, mais c'est énervant à la fin! Il faut toujours surveiller où on pose les pieds ou les fesses.

Martine s'est agrippée au bord de la piscine pour mieux surveiller les ébats d'Orville.

— J'adore les geais bleus! Ils sont superbes!

Parce que c'était un geai? Décidément, j'en apprenais des choses…

Sur le ton d'un expert, j'ai ajouté:

— Et propre, en plus.

Je ne risquais pas grand-chose en affirmant ça. C'était l'évidence même: Orville adorait faire sa toilette!

Quand il en a eu assez, il est retourné dans le chêne. *Djé! Djé!*

Alors, il s'est mis à lisser soigneusement ses plumes avec son bec.

— Il se sèche. Tu devrais le voir quand il prend un bain de fourmis!

Ç'a été plus fort que moi:

— UN BAIN DE FOURMIS!

Martine m'a regardé comme si je débarquais d'une autre planète:

— Ben, oui. Quoi, tu ne savais pas ça?

Eh non! Mais je sentais que j'allais bientôt tout savoir sur le sujet.

Comme je l'avais prévu, elle a entrepris de faire mon éducation:

— Souvent, le geai s'installe au-dessus d'une fourmilière. Il gonfle son plumage et laisse les fourmis envahir son corps.

— Aïe! Pousse mais pousse égal!

— Puisque je te le dis... À un moment donné, l'oiseau resserre ses plumes. Les fourmis se débattent et produisent alors un liquide qui tue les parasites logés dans son plumage. Pas bête, hein?

Décidément, elle était la plus forte! Il fallait à tout prix que je me rattrape! Sinon, c'était foutu pour nous deux.

Pour moi, un ami c'est quelqu'un à qui je peux parler d'égal à égal. Or, elle me battait sur tous les tableaux. J'ai proposé:

— Si on faisait une petite course ?

— Qu'est-ce que tu suggères ?

— Dix longueurs de piscine.

— O.K.

Nous nous sommes mis en position de départ et nous avons compté ensemble :

— Un... Deux... Trois... GO !

Dès le début, j'ai pris de l'avance. Et je n'avais pas l'intention de me laisser rejoindre !

À la cinquième longueur, je menais encore. Cependant, je sentais que, si je ne me forçais pas davantage, Martine allait me doubler.

Tout mais pas ça ! Elle plongeait peut-être comme une championne, elle en savait peut-être long comme ça sur les oiseaux, ce n'était pas une raison pour lui laisser prendre le dessus sur moi à la course !

Finalement, j'ai gagné. De justesse. Mais j'ai gagné.

À bout de souffle, nous sommes sortis de l'eau pour aller nous écrouler dans l'herbe.

Martine a parlé la première :

— Tu nages vraiment bien.

— Mais... tu plonges mieux que moi...

Ouf ! Je me sentais mieux.

— ... Et puis, il faut que je te dise autre chose.

— Quoi ? J'ai lancé d'un trait :

— Je ne connais rien aux oiseaux.

Martine ne s'est pas moquée. Elle m'a taquiné. Gentiment.

Alors, je lui ai tout dit: Louise, Paul, leur voyage, Gino, la campagne. Tout! Même le sombrero qui mange la poussière dans le fond de mon placard et que je sors juste pour les visites de Fernande.

Martine m'a parlé de ses grands-parents restés en France. De son père qui adore son travail pour le Service de la faune. De sa mère qui ne s'est jamais tout à fait habituée à nos hivers.

— Il faut la comprendre. Marie vient d'une région où les hivers sont très doux.

— Crois-tu que vous retournerez vivre en France?

— Je ne sais pas.

— Ça te plairait à toi?

— Pour moi, c'est différent. Ici, je suis chez moi. La neige, le froid, ça fait partie de ma vie. Je n'ai jamais connu autre chose. C'est en France que je serais dépaysée.

Au fond, la seule chose qui l'agace, c'est qu'on déforme constamment son nom. Ça ne l'agace pas, ça l'enrage!

* * *

Nous avons passé l'après-midi à nager et à jaser.

Vers dix-sept heures, Julien est venu nous

inviter à aller souper dans le parc régional. À côté.

Madame Galano a accepté que Martine nous accompagne. Grand-père s'occupait du lunch.

VII

L'invitation de Julien

Une heure plus tard, nous étions installés sur des rochers, au bord de la chute aux Aigles.

Auparavant, Julien avait fait un crochet au village pour commander notre repas à *La Patate*.

Quoi ? Vous ne connaissez pas *La Patate* ! Franchement ! On voit bien que vous n'avez jamais mis les pieds à Sainte-Geneviève !

La Patate, c'est… l'équivalent local du McDo. C'est ça ! Un McDo saisonnier. Avec service à l'auto, uniquement.

Remarquez, ici, il s'agirait plutôt de service aux piétons. Ou aux cyclistes.

En fait, *La Patate*, c'est une cabane peinte en blanc, installée au bord du trottoir, entre l'école Notre-Dame et le terrain de balle. Vous me suivez ?

La Patate ouvre ses portes au printemps et les ferme à l'automne. Je devrais plutôt parler de son carreau. Car personne n'entre dans

La Patate. Sauf Mariette, la propriétaire. Le client, lui, reste à l'extérieur.

Quand quelqu'un arrive, Mariette fait coulisser une petite vitre carrée, au-dessus d'une tablette étroite. Elle note la commande sur un bout de papier et referme aussitôt.

Les jours de canicule, les gens font la queue devant son carreau.

Lorsqu'elle a un répit, au creux de la soirée, elle sort prendre l'air et bavarder avec les jeunes qui flânent là. Mais, avant, elle enfile toujours sa veste de laine !

La première fois que je l'ai vue faire, je n'en suis pas revenu ! Autour, tout le monde suait et se plaignait de la chaleur.

Julien m'a expliqué qu'à passer ses journées penchée sur l'huile et les plaques bouillantes, à la fin, même la douceur d'un soir de juillet vous donne le frisson.

Il paraît que chaque automne Mariette accroche sa veste de laine et part pour la Floride. C'est à son tour d'être en vacances. Elle s'offre enfin l'été !

En tout cas, j'affirme que ses frites sont sans pareilles ! Un régal ! Personne n'y résiste. Sauf ma mère.

Elle n'aurait pas apprécié notre menu. Mais, à cette heure-là, Louise était déjà loin.

— Je n'avais pas envie de cuisiner, a avoué Julien. D'ailleurs, une fois n'est pas coutume. Et puis, j'ai apporté des jus et des fruits.

— Heureusement! Tu me connais, je n'aurais pas supporté que mon équilibre alimentaire soit…

Martine est venue à mon aide:

— Rompu?

— C'est ça! Exactement le mot que je cherchais!

Grand-père s'est levé en riant:

— Toi, je te jure…

Nous sommes partis nous promener dans les sentiers. Nous avons suivi le cours de la Noire jusqu'à la chute basse.

À cet endroit, la rivière coule en pente plus douce et se faufile entre des îlots de grosses roches plates.

Nous nous sommes amusés à sauter d'une à l'autre. La Noire nous éclaboussait de fines gouttelettes. Je dois bien avouer que c'était agréable. Vraiment.

Le soleil se couchait derrière des pins gigantesques. Nous nous sommes assis sur un gros rocher. Personne ne parlait. Au bout d'un moment, nous sommes repartis. Tout doucement.

En quittant le parc, un bruit a attiré mon attention. Une sorte de tambourinement rapide qui revenait régulièrement.

— Un pic! s'est exclamé Martine.

— Un pic?

— Un pic mineur. Là-haut! a précisé Julien.

C'était ma seconde découverte ornithologique de la journée. Un oiseau noir et blanc, avec une tache rouge à l'arrière de la tête.

Un mois comme ça et je deviendrai un véritable spécialiste!

En arrivant à la maison, grand-père a soupiré:

— Je me sens un peu lourd. Que diriez-vous d'une balade à bicyclette pour brûler quelques calories? Nous pourrions monter jusqu'à la côte Saint-Louis et redescendre par la côte Saint-Paul.

Martine hésitait:

— Il faut que j'avertisse ma mère. Elle aime savoir où je suis.

— Nous t'attendons.

Dix minutes plus tard, nous pédalions tous les trois en pleine campagne. De chaque côté de la route, quelques fermes isolées et des champs à perte de vue.

Rien d'autre. Personne. La campagne dans toute son horreur!

Du coup, j'ai été reconnaissant à mon arrière-grand-père d'avoir construit sa maison aux limites du village.

Une vision de cauchemar me poursuivait.

Imaginez ce que j'aurais dû endurer si Julien et Fernande avaient habité un rang comme celui-ci.

Julien avait pris la tête. Je l'ai doublé. J'avais la rase campagne aux fesses et je fonçais vers la civilisation. Jamais, je n'ai été aussi heureux d'entrer dans le village !

Après la côte Saint-Paul, la place de l'église m'est apparue aussi animée que la rue Sainte-Catherine un vendredi soir !

D'accord. Avec Martine dans le paysage, ce séjour s'annonce mieux que prévu. N'empêche, la pilule est assez dure à avaler pour qu'on ne me force pas à prendre toute la bouteille dès le premier jour !

Au retour, Fernande nous attendait sur la galerie.

— Si je comprends bien, vous avez profité de mon absence pour prendre la clé des champs !

— Même qu'on n'a vu que ça, des champs !

Grand-mère s'est mise à rire :

— Si je comprends bien, il va falloir un peu de temps pour te faire apprécier Sainte-Geneviève.

— À ta place, je ne compterais pas trop là-dessus.

— On s'en reparlera dans un mois.

Le pire, c'est qu'elle avait l'air sûre de son coup.

Martine allait partir, lorsque Fernande a ajouté :

— Au fait, je vais aux fraises à Saint-Léon demain. Ça vous tenterait de m'accompagner ?

— Vous partez tôt ? a demandé Martine.

— Au début de la matinée.

— Parfait, j'y serai.

Décidément, c'est une véritable conspiration. Ce matin, les oiseaux m'ont tiré du lit à l'aurore. Demain, ce sera au tour des fraises. Rien ne me sera donc épargné !

Que vouliez-vous que je réponde ? Je n'étais tout de même pas pour dire que je préférais rester au lit. J'aurais eu l'air de quoi devant Martine ?

Je suis allé la reconduire.

Vous pouvez ravaler vos petits sourires. Ça n'est pas parce qu'on préfère la ville à la campagne qu'on est malpoli.

En arrivant chez elle, une image m'est revenue :

— Tu n'étais pas dans le champ, ce matin, vers cinq heures ?

— Oui.

— Que faisais-tu dehors, de si bonne heure ?

— Tu veux vraiment le savoir ?

— Ben oui.

— Alors, viens me rejoindre demain.

— À cinq heures du matin !

— Six, si tu préfères.

— Non, non. Cinq heures, ça ira !

* * *

Vous avez fini de ricaner dans mon dos ? C'est vrai que j'ai déclaré il n'y a pas si longtemps que les filles me tapaient sur les nerfs. Mais c'était à cause de cette tache de Sophie Rondeau !

Martine, elle… Enfin… C'est différent. Et puis, bout de banane, je n'ai pas de comptes à vous rendre !

VIII

Une promenade matinale

Quand le réveil a sonné et que j'ai vu l'heure, je me suis promis d'assommer le petit malin qui m'avait fait ce coup-là! Puis je me suis rappelé mon rendez-vous avec Martine.

Moi, Luc Beaulieu, j'avais promis à une fille de me lever avec le soleil pour l'accompagner!... Au fait, je ne savais même pas où nous allions. Ni pourquoi nous y allions.

C'est justement ça qui m'a poussé hors du lit. Martine avait piqué ma curiosité. Chez moi, c'est plus fort que tout!

Enfin, disons que je suis plus curieux que paresseux.

Comme un automate, j'ai enfilé mes jeans et mon chandail. Ensuite, je suis descendu à la cuisine sur la pointe des pieds et je me suis écroulé dans la berceuse près de la porte. Encore un peu et je me rendormais là!

J'ai finalement trouvé assez d'énergie pour me faire deux toasts et me verser un verre de jus. J'ai avalé mon petit déjeuner sans en avoir vraiment conscience. Et je suis sorti.

L'air frais du matin n'a pas réussi à dissiper le brouillard dans lequel je flottais depuis mon réveil. Mais quand je me suis retrouvé les deux pieds dans la rosée, là, je me suis réveillé pour de bon!

Quelques pas sur l'herbe et mes sandales étaient détrempées! Sans parler de mes orteils. Complètement frigorifiés!

Moralité: si une fille vous donne rendez-vous, au petit matin, en plein champ, chaussez-vous comme si vous partiez à la pêche. C'est peut-être moins élégant, mais sûrement plus confortable.

Martine m'attendait en lisant près de la piscine. Impossible de la surprendre. À chaque pas, mes chaussures gorgées d'eau émettaient un long soupir mouillé. Froush! Froush!

Elle s'est retournée. Elle portait un appareil-photo au cou. Aux pieds, des bottes de caoutchouc. Évidemment!

Elle a jeté un coup d'œil à mes chaussures, mais n'a fait aucun commentaire:

— Le réveil n'a pas été trop dur?

— Penses-tu!

— Alors, on y va!

— Je te suis.

Juste comme je bâillais dans son dos à m'en décrocher les mâchoires, elle s'est retournée :

— J'allais oublier mon matériel, m'a-t-elle dit en réprimant un sourire.

Elle a attrapé un sac à dos, abandonné sur la chaise longue, et l'a enfilé sur son épaule :

— Tu t'y connais en photo ?

— Un peu. J'en ai fait en première secondaire. Et toi ?

— Moi, c'est mon père qui m'a appris.

— Je croyais qu'il était biologiste pour le Service de la faune ?

— C'est vrai. Mais ça ne l'empêche pas d'être aussi un maniaque de la photo. Il a même une chambre noire. C'est une passion qu'il a rapportée d'Allemagne.

— D'Allemagne ?

— Il a fait un stage, là-bas, durant ses études. C'est le propriétaire de la pension où il logeait qui l'a initié. Il a participé à plusieurs concours et remporté quelques prix…

Nous marchions lentement vers la forêt.

— Tu ne m'as toujours pas dit où nous allions.

— À la chasse aux images !

— Quoi ? Tu veux dire que tu m'as fait sortir du lit, à quatre heures trente du matin, uniquement pour aller faire de la photo ?

— C'est pourtant évident, il me semble. Tu ne pensais tout de même pas que nous partions faire de la plongée sous-marine !

Je venais de perdre une belle occasion de me taire.

— D'ailleurs, enchaînait Martine, j'espère que tu vas me porter chance car, jusqu'ici, je suis toujours revenue bredouille. Et puis avoue qu'il fait un temps splendide !

C'était vrai. Il faisait beau. Comme l'avait prévu ma mère et les météorologues.

Et j'avais vraiment hâte que le soleil sèche un peu les champs ! Car si, comme le prétend Fernande, c'est par les pieds qu'on attrape les pires grippes, j'allais y goûter !

— ... Et toi, tu as une passion ?

— Non... Pas vraiment. J'aime bien bricoler, inventer des trucs... Dessiner...

— Qu'est-ce que tu dessines ?

— Enfin... Je ne dessine pas vraiment...

— Décide ! Tu dessines, oui ou non ?

— Je travaille à une bande dessinée.

— Super ! Ça parle de quoi ?

— C'est de la science-fiction.

— Ah...

Où est le mal ? Ça n'est sûrement pas plus idiot que de courir les champs dans la rosée pour aller photographier... Au fait, on allait photographier quoi au juste ?

— Dis donc...

Elle a mis un doigt sur sa bouche :

— Chu-u-u-u-u-t !

À travers les branches, nous apercevions la clairière à l'emplacement du chemin de fer.

J'ai murmuré :

— Voilà longtemps qu'on n'entend plus siffler les trains dans la région. D'ailleurs, d'après ce qu'on raconte à la télé et dans les journaux, ce n'est pas demain qu'on les remettra sur les rails !

— Heureusement !

Décidément, elle était bien la seule dans le pays à penser comme ça.

— Pourquoi ?

— À cause des merles bleus.

— Des merles bleus ?

Je débarquais. Ainsi, elle se promenait chaque matin dans la nature, à l'heure où les honnêtes gens dorment encore, uniquement pour photographier des bibites à plumes ! Ça tournait à l'obsession !

Semblerait que ces petites bestioles prennent leur déjeuner très tôt et que c'est à ce moment qu'on a le plus de chance de leur « tirer » le portrait…

— Tu n'as jamais entendu parler du merle bleu ? m'a demandé Martine.

J'ai haussé les épaules.

En fixant l'appareil-photo au trépied, elle m'a appris, à mi-voix, que le merle bleu à poitrine rousse était, il n'y a pas si longtemps, un oiseau nicheur assez répandu au Québec.

— Il y a quelques années, il avait presque complètement disparu parce qu'on coupait les vieux arbres qu'il aimait pour cultiver la terre et aussi parce qu'il était en compétition avec d'autres oiseaux, plus agressifs, qui lui disputaient son nid. Mais, aujourd'hui, c'est différent.

— Pourquoi ?

— De plus en plus de gens installent des nichoirs comme ceux-là.

Elle orientait l'objectif vers une cabane fixée à un poteau d'environ un mètre cinquante de haut, planté le long de la voie ferrée.

— Au printemps, quand j'ai découvert cet endroit, j'étais folle de joie ! C'est l'endroit idéal pour établir « un sentier de merles bleus ». J'ai fabriqué quelques cabanes. Et j'ai eu de la chance. Des visiteurs sont venus. Malheureusement, je n'ai pas encore réussi à les photographier. Mais ce matin, je sens que ça va y être !

Elle a ajusté une lentille à son appareil. Réglé l'ouverture. Et s'est éloignée, tenant à la main le déclencheur à distance.

Appuyée contre un arbre, elle s'est mise aux aguets.

Je la sentais tendue comme Spaghette, le chat de Gino, lorsqu'il guette sa proie.

Et l'attente a commencé. Les minutes

s'égrenaient. Cinq… Dix… Quinze… Je ne sais trop.

Puis il y a eu plusieurs déclics, suivis d'un bruissement d'ailes.

Martine triomphait.

— Je le savais! Je le savais! Mon père a bien raison. Il faut être réceptif. Se fier à son intuition. Alors on réussit.

— C'est un point de vue. Il faudra que j'essaie ça à mon prochain examen de maths!…

Elle a haussé les épaules dédaigneusement.

— Tu as vu? Tu as vu? m'a-t-elle demandé en m'attrapant par les épaules.

— Oui. Oui.

En vérité, j'avais juste eu le temps d'apercevoir une boule de plumes bleues et rousses qui plongeait dans les branches d'un pin.

— Il était beau, hein?

Sûrement. Mais… rien de comparable à ses boucles brunes qui dansaient autour de mon visage et me chatouillaient le nez!

— C'était un mâle. J'ai hâte à dimanche pour développer mes photos. Je suis sûre que mon père va capoter!

J'ai sursauté. Elle avait bien dit: «un mâle». Comment pouvait-elle parler avec autant d'assurance du sexe de cet oiseau?

Je me suis demandé si Louise n'avait pas négligé certains détails lorsqu'elle m'a parlé des abeilles et des fleurs... Il fallait que je me renseigne. Et vite !

Paul m'a toujours affirmé que poser des questions est une preuve d'intelligence. Alors, j'ai plongé.

— Comment sais-tu que c'était un mâle ?

— À cause de la couleur du plumage, évidemment.

— Parce que les femelles ne sont pas bleues ! Roses peut-être ?... Bleu pour le mâle, rose pour la femelle. Comme pour les bébés.

Martine s'est mise à rire. J'aime bien la voir rire. Ses yeux bleus deviennent encore plus bleus. Décidément, on nage dans le bleu.

— Pas étonnant que tu écrives de la science-fiction. Tu es complètement tordu. Lâche la coke pendant qu'il en est encore temps !

— Eh, je ne me suis pas levé de si bonne heure pour me faire insulter. Revenons à nos moutons.

— Tu veux dire à nos oiseaux.

— C'est ça. J'aimerais bien savoir en quoi le plumage du mâle est différent de celui de la femelle ?

— Chez les oiseaux, le plumage des mâles est le plus souvent de couleurs plus éclatantes.

L'occasion était trop belle. J'ai sauté dessus:

— Si je comprends bien, les mâles sont plus beaux. C'est vrai que ça saute aux yeux! Je me demande comment je ne l'ai pas remarqué plus tôt...

Martine a repoussé une mèche rebelle et m'a regardé avec un air narquois:

— Chassez le macho... il revient au galop.

Ça ne l'a pas empêché de me prêter son appareil pour prendre quelques photos des sous-bois. Je crois que ça sera très réussi.

Ensuite, nous avons arpenté son sentier de merles bleus. Martine en est très fière! Même s'il n'est constitué que de quelques nichoirs.

— Je compte en installer d'autres, à l'automne. Tu sais, certaines pistes s'étendent sur plusieurs kilomètres. Entre le Manitoba et l'Alberta, il y en aurait une qui s'étirerait sur 3 500 km! Maintenant que la saison de nidification est terminée, il va falloir enlever les vieux nids et nettoyer les nichoirs.

J'ai promis à Martine de l'aider.

Et je vous préviens, ce ne sont pas vos petites insinuations stupides qui vont me faire changer d'idée.

Même que... Enfin... vous verrez bien.

IX

De tout et de rien

À neuf heures, tel que convenu avec Fernande, nous sommes partis vers Saint-Léon. Et en route pour les champs de fraises !

Grand-mère avait cependant oublié de nous prévenir que son amie, Aline Rompré, était également invitée. Avec ses petits-enfants.

Je n'ai rien contre madame Rompré. Elle est gentille. Mais son petit-fils !... Autant sa sœur est adorable, autant il est exécrable !

À peine monté dans la voiture, le petit monstre a commencé à hurler. Et il a continué comme ça jusqu'au retour.

Chose certaine, on ne m'y reprendra plus ! Tant de travail pour sauver quelques cents...

C'est le fermier qui doit rigoler en voyant tout ce beau monde accroupi dans le champ, sous un soleil de plomb, en train de cueillir des fraises qu'il leur fera payer presque aussi cher que celles vendues au panier.

En tout cas, j'espère que les confitures de

Fernande réussiront à me faire oublier le for-
midable coup de soleil que j'ai attrapé sur les
bras !

Sans parler des pincettes, coups de pieds,
coups de poings et autres gentillesses dont
m'a hypocritement gratifié le petit démon.

En passant, il ne s'attaque qu'aux garçons,
respectant en cela les maximes répétées par
sa grand-mère: «On ne doit jamais frapper
les filles, pas même avec une fleur ! » ou
encore «Qui bat sa sœur, bat sa femme. »

Martine approuvait, affirmant qu'avec
toute la violence faite aux femmes, ces dic-
tons étaient on ne peut plus d'actualité et
devraient faire partie de l'éducation de tous
les petits mâles de la planète !

Quoi qu'il en soit, Martine s'en est donc
sortie sans bleus, ni bosses et... sans coup de
soleil puisqu'elle portait un chandail à man-
ches longues, elle.

* * *

Cet après-midi, je suis allé m'étendre à
l'ombre, sur le balcon. De toute façon, je
n'étais pas montrable.

Fernande m'a recouvert les bras d'une
couche de soda à pâte délayé dans quelques
gouttes d'eau. Ça me faisait une espèce de
plâtre qui craquelait au moindre de mes
mouvements.

Je laissais partout des traces de mon passage. Un vrai Petit Poucet !

Quoi ? Encore le Petit Poucet, dites-vous. C'est vrai, je me répète. Voyez-vous, lorsque j'étais petit, cette histoire me terrorisait ! En vieillissant, je l'avais oubliée. Pourtant, j'aurais dû rester sur mes gardes. Il n'y a pas d'âge pour être abandonné par ses parents. La preuve...

Julien est monté bavarder quelques minutes :

— Tu cuves ton coup de soleil ? À quoi penses-tu ?

— À rien.

— Tu ne vas pas nous faire une crise d'ennui ?

— Franchement ! Je ne suis plus un bébé.

— Je le sais. Je disais ça pour te taquiner.

N'empêche que je pensais justement à ma mère. Un jour, elle m'a raconté que lorsqu'elle était petite, elle venait s'asseoir ici avec son frère. Pour jouer aux autos.

Léopold choisissait une couleur. Louise une autre. Ensuite chacun additionnait les voitures de même couleur qui passaient sur la route. Celui qui en avait compté le plus, gagnait ! Follement divertissant, vous ne trouvez pas ?

Pour l'instant, Louise est loin de Sainte-Geneviève et c'est moi qu'elle a laissé sur le balcon pour compter les autos à sa place.

* * *

Cette nuit, j'ai mal dormi. À cause de mon coup de soleil. Une fois de plus, j'étais debout à la barre du jour, comme dit Fernande.

Décidément, la campagne c'est comme l'hôpital : impossible d'y dormir en paix !

Vous avez remarqué, à l'hôpital, il y a toujours une infirmière qui se pointe dans votre chambre au moment où vous commencez à vous assoupir.

— Une petite prise de sang.

— Aïe !

Quand ce n'est pas pour une prise de sang, on vous dérange pour prendre votre tension, pour vous faire une injection, pour vous obliger à avaler un médicament ou changer vos draps.

Je sais de quoi je parle. J'y ai passé quelques jours l'hiver dernier. Rien de grave, rassurez-vous.

À tout prendre, je préfère encore Sainte-Geneviève !

Comme je n'avais rien à faire de particulier, j'ai décidé d'écrire à Gino. Juste pour le plaisir. Même si je n'ai rien d'excitant à raconter.

Qu'est-ce que vous avez à vous tordre comme des baleines ? Avouez qu'ici, il ne se

passe pas grand-chose. Ni événement spec-
taculaire. Ni grand drame non plus. C'est le
beau côté de la chose, d'ailleurs.

Je lui ai tout de même dit que je m'étais
découvert un penchant pour l'ornithologie.
Et j'ai terminé à la blague, en affirmant que
Spaghette serait aux petits oiseaux s'il tom-
bait ici.

Je ne suis pas certain que Martine appré-
cierait ce genre d'humour.

* * *

Vers dix heures, j'ai emprunté la bicyclette de Julien pour aller poster ma lettre.

Non, je ne suis pas passé au dépanneur!
Ça paraît que vous n'êtes jamais sortis de
votre quartier! Les comptoirs postaux au
fond des dépanneurs, c'est bon pour la ville.
Ici, le bureau de poste c'est une grande
bâtisse de briques rouges, bien en évidence,
sur la place de l'église. Juste entre la Caisse
Populaire et le magasin général.

Entre dix heures et midi, les deux tiers du
village s'y croisent. Il s'en brasse des affaires
dans un bureau de poste rural!

Comme j'étais sur place, j'ai décidé de
demander le courrier de Julien. Je ne savais
pas dans quoi je m'embarquais!

La postière a retiré deux enveloppes d'un
des casiers de bois, derrière elle. Ensuite,

sans me tendre les lettres, elle m'a détaillé de la tête aux pieds :

— Tu es en vacances dans le coin ?

— C'est ça.

— D'où viens-tu ?

Autant décliner mon identité tout de suite. Autrement, je le sentais, je serais encore là à la fermeture !

— Je suis Luc Beaulieu.

— Beaulieu ?...

J'ai eu un éclair de génie :

— Le petit-fils de Julien Leduc. Le fils de Louise.

— Pas vrai ! Comment va ta mère ?

— Bien. Bien. Très bien !

— Qu'est-ce qu'elle fait de beau ?

— Elle travaille à la Caisse Populaire.

— Il me semble que j'ai entendu dire qu'elle était partie en voyage...

— Elle est en France.

— La chanceuse ! Tu la salueras de ma part, quand elle reviendra.

— Oui. Oui. Promis !

Je lui ai pratiquement arraché le courrier des mains et j'ai filé en quatrième vitesse.

Non, mais... pour qui elle se prend celle-là ? Columbo ou Sherlock Holmes ?

Ça m'apprendra à prendre des initiatives !

* * *

Depuis trois jours, je paresse au lit jusqu'à neuf heures et demie. Les oiseaux ne me dérangent plus. Enfin… presque. Je me réveille quand ils commencent à piailler mais je me rendors aussitôt.

Comme dit grand-père, le chant des oiseaux, c'est plus facile à supporter qu'un stéréo qui hurle à tue-tête.

Là-dessus, il a raison. Cher Julien! Il ne tiendrait pas deux semaines à côté de nos voisins. Leur fils étudie la musique et il pense que ça lui donne le droit d'écœurer tout le quartier en soufflant dans sa trompette à n'importe quelle heure du jour ou de la nuit.

Ça, c'est quand il n'écoute pas ses airs favoris à plein volume!

L'hiver, on ne l'entend pas. Mais l'été… On a beau dire, tous les « farmers » ne vivent pas à la campagne. Oh! non.

Ce matin, je suis pressé. Je m'en vais à la bibliothèque. Me documenter un peu sur les merles bleus et autres créatures à plumes.

Quoi? Vous me trouvez débile? Attendez un peu de rencontrer une fille passionnée d'ornithologie! Je vois ça d'ici. Vous allez courir vous percher sur le premier poteau de clôture à votre portée en criant pit pit pit!

* * *

La bibliothécaire n'a pas fait d'histoires pour m'inscrire. Même qu'elle savait déjà mon nom. Je vous l'ai dit, ici les nouvelles voyagent plus vite que le vent! C'est un peu agaçant; n'empêche que c'est moins impersonnel qu'à la ville. Ici, tout le monde s'intéresse à tout le monde.

Je ne suis pas naïf. Je sais bien que ce n'est pas toujours dans un but charitable. Chaque village a ses mauvaises langues. Ses commères. D'un autre côté, ça doit être rassurant de savoir qu'il y a toujours quelqu'un pour vous venir en aide, si vous êtes mal pris.

J'ai réussi à mettre la main sur deux ouvrages intéressants. Un coup de chance! Les abonnés sont nombreux et le nombre de livres limité.

Faut dire que le local est minuscule. De plus, il n'est ouvert que deux heures par semaine. Le dimanche. Après la grand-messe. Et grâce au travail des bénévoles.

Quoi?…Vous voulez savoir où est située la bibliothèque? Non, voyons! Pas au dépanneur… Franchement! Pourquoi pas au bureau de poste, tant qu'à y être? Qui a dit à *La Patate*?

Puisqu'il n'y a pas moyen de faire autrement, je me résigne: je vous fais un dessin.

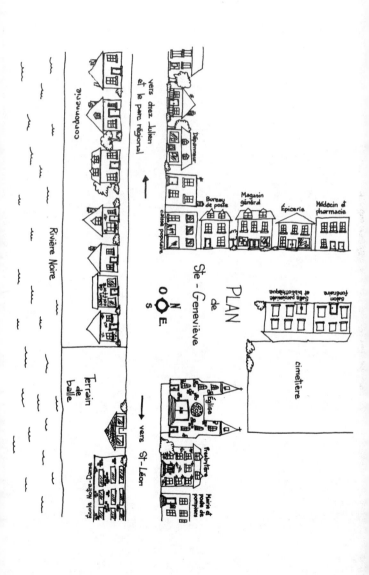

X
Une invitation

En fin d'après-midi, Martine a fait irruption :

— Viens ! Il faut absolument que tu voies ça !

J'ai tout de suite soupçonné qu'il y avait de la plume là-dessous.

— Qu'est-ce qui t'arrive ? Tu as aperçu un harfang des neiges ? Tu sais, de nos jours, c'est à la portée de tout le monde. Suffit d'avoir en poche un billet de cinquante dollars.

— Toi et ton humour de bottine…

— Tu as tort de ne pas rire. Ça te fait de très beaux yeux !

Ça m'avait échappé. Je me suis senti rougir. Je ne savais plus quoi dire. J'aurais voulu disparaître de l'autre côté de la planète.

Fernande et Julien qui s'entraînaient pour le golf n'avaient pas perdu un mot.

Martine ne disait rien. Je n'osais pas la regarder. Je restais là, comme un imbécile, à me gratter la tête en me balançant d'un pied sur l'autre.

Alors, grand-mère a crié à Martine :

— À ta place, ma fille, je me méfierais. Celui-là, c'est un drôle de moineau !

Du coup, Martine a retrouvé son aplomb :

— Merci du conseil !

Je n'avais pas bougé d'un centimètre.

— Tu te décides ? Tu viens voir les photos ?

— Ah ! oui… Les photos.

— Arrive, don Juan de banlieue !

J'ai éclaté de rire. Un rire nerveux.

— Tu devrais rire plus souvent, a commenté Martine, ça te fait de jolies fossettes.

Et toc !…

* * *

Comment sont les photos ? Vous voulez vraiment savoir ? Les miennes ne cassent pas trois pattes à un canard, pour employer une expression de madame Galano.

Celles de Martine par contre sont beaucoup mieux. Celle du merle bleu est particulièrement réussie ! On jurerait qu'il est vivant. Qu'il va quitter le toit du nichoir et s'envoler…

Exactement comme il l'a fait quelques secondes après que Martine eut appuyé sur le déclencheur.

* * *

J'allais oublier… Martine m'a invité à l'accompagner à la salle paroissiale mercredi soir pour le show des «Étoiles filantes», un groupe rock de la région.

Ce spectacle est organisé par le C.E.D: le Club des Entrepreneurs Dynamiques. Si j'ai bien compris, il s'agit d'un groupe d'hommes et de femmes d'affaires.

Un mercredi sur deux, durant l'été, ils planifient des activités pour les jeunes.

Vous imaginez bien que j'ai hâte à mercredi!

* * *

Depuis le début de la semaine, je partage mon temps entre la baignade avec Martine, les excursions à vélo aux côtés de Martine, la pêche au pied des chutes en compagnie de Martine.

Ajoutez les matchs de balle molle où je vais applaudir Julien escorté de Fernande… et Martine. Oui, j'en conviens, je vois beaucoup Martine.

Mais je me garde tout de même du temps pour travailler dans l'atelier de Julien.

Qu'est-ce que je fabrique? Vous ne pensez tout de même pas que je vais vous le dire! Bavards comme vous l'êtes… Vous saurez tout dans le temps comme dans le temps. C'est une surprise.

En attendant, ce soir, je vais au spectacle avec Martine.

* * *

La salle paroissiale est en bois blanc. Comme vous pouvez le voir sur la carte, d'un côté, elle frôle le muret du cimetière et, de l'autre, s'adosse au salon funéraire.

Drôle d'emplacement, dites-vous, pour une salle de spectacles. Il y a dix jours, je l'avoue, j'aurais été le premier à me tordre. Mais je commence à voir les choses autrement.

En ville, les cimetières sont souvent situés à l'écart. Au sommet d'une montagne ou dans une zone périphérique. La mort ne doit pas déranger l'alignement urbain.

Ici, la mort fait partie du paysage quotidien.

Que ce soit pour aller faire son épicerie, acheter une boîte de clous au magasin général ou des aspirines à la pharmacie, vous passez forcément devant les hautes grilles en fer forgé du cimetière. Peut-être qu'à la longue on arrive à se faire tranquillement à l'idée d'y reposer soi-même… un jour.

Et puis, comme ça, les soirs d'halloween, les fantômes sont aux premières loges pour assister à l'arrivée des invités au traditionnel bal costumé.

Justement, la petite fête de mercredi a été parfaite! Enfin... presque.

La salle paroissiale de Sainte-Geneviève, ce n'est pas le Forum de Montréal et on n'attendait pas les «Rolling Stones». Comme les spectacles sont plutôt rares dans le coin, personne ne boudait son plaisir et tout le monde applaudissait chaleureusement «Les Étoiles Filantes».

Vers la fin de l'entracte, un grand twit à lunettes s'est approché de Martine:

— Luc, m'a-t-elle dit, je te présente Sébastien Proulx.

Il m'a dévisagé d'un œil expert:

— Toi, tu n'es pas de la place.

— Luc est en vacances chez ses grands-parents, les Leduc, à la sortie du village, a précisé Martine.

— Ah! c'est toi, ça...

«CA»?...

— Aïe ch!...

— Entrons, m'a coupé Martine, ça va recommencer dans quelques secondes.

Mais le twit ne nous lâchait pas d'une semelle. Il a repéré la place libre à côté de nous et s'y est installé.

À tout moment, sous prétexte de s'étirer, il passait son grand bras maigre autour des épaules de Martine.

Dans le genre tache, impossible de trouver mieux! Plus collant, tu meurs! Pire que Sophie Rondeau!

Personnelllement, ça ne me dérangeait pas, mais je sentais bien que ça agaçait Martine. Elle se trémoussait sur sa chaise pour échapper à sa grande main baladeuse.

J'aurais donné n'importe quoi pour éviter ça à Martine et lui mettre mon pied quelque part à celui-là! Les orteils m'en retroussaient!

L'air décontracté, je me suis lourdement accoudé sur le dossier de Martine. En fait, j'avais trouvé appui sur l'avant-bras du twit et je le coinçais fermement contre la traverse de bois.

Je l'observais du coin de l'œil. Il grimaçait de douleur et était sur le point de demander grâce, lorsque Martine s'est brusquement tournée vers moi:

— Tu me prends pour qui, Luc Beaulieu? m'a-t-elle sifflé à l'oreille. Quand j'aurai besoin d'un garde du corps, je te le ferai savoir. En attendant, je n'aime pas beaucoup tes airs de propriétaire!

Bout de banane! Si je m'attendais à ça! Les filles, des fois…

Après la dernière chanson, le président du C.E.D. est monté sur scène.

— La prochaine activité que nous vous proposons est différente…

— Accouche, qu'on baptise! a lancé quelqu'un du fond de la salle.

L'homme ne s'est pas laissé impressionner.

— … Il s'agit d'un concours ayant pour thème les beautés de la nature. Vous pouvez vous inscrire dans une des trois catégories : photo, texte ou dessin. Vous en saurez plus long en lisant le feuillet qu'on vous remettra en sortant.

— Qu'est-ce qu'on gagne ? a crié le twit à lunettes.

— Des prix de 150 $ seront attribués aux trois gagnants. Ils leur seront remis au cours d'un souper au restaurant *La Petite Sirène*, à Neuville. Les autres auront rendez-vous, ici, pour une soirée de cinéma.

Plus personne n'écoutait. Tout le monde s'amusait à contester la valeur des récompenses.

À la sortie, les jeunes se sont dispersés par petits groupes. Le twit marchait toujours sur nos talons. Le pire c'est que Martine avait l'air de s'amuser follement !

Heureusement, une petite rousse, nous en a délivré :

— Hé, Sébastien, tu viens manger une frite à *La Patate* ?

Ce cher Sébastien s'est tourné vers Martine :

— Tu viens?

Le twit se vengeait et me rayait de la liste des invités.

Martine hésitait.

XI

Le concours

Finalement, elle a refusé. Tout de même !
Sébastien Proulx est parti au bras de la
petite rousse.

— Veux-tu bien me dire où tu l'as pêché,
celui-là ?

— Sébastien ? Il était dans ma classe cette
année.

— S'ils sont tous comme lui, à ton école,
ça doit être Noël à l'année longue !

Martine m'a décoché un regard méfiant :

— Toujours ton humour de bottine, je
suppose.

— Ben quoi, s'ils ont tous un grelot dans
la tête, lorsque tout ce beau monde circule
dans les escaliers, on doit avoir l'impression
d'entendre passer le traîneau du père Noël.

La réplique de Martine est tombée aussi
sec :

— Si tous les élèves de ta classe ont la tête
aussi enflée que la tienne, ça doit être le fes-
tival des montgolfières dix mois sur douze.

Vlan ! Jamais moyen d'avoir le dernier mot avec elle.

Et elle boudait en plus ! Alors j'ai entonné l'air des regrets :

— Je m'excu-u-u-u-u-se.

Ça marche à tous les coups avec Louise. Pas avec Martine.

— Trop facile, les excuses. La prochaine fois, réfléchis avant de lancer une autre de tes blagues épaisses.

Épaisses, mes blagues ? Avouez que vous, vous l'avez trouvée bien bonne, celle des grelots. Quoi ?… Comment, non ?… Franchement, vous me décevez.

Martine se taisait. Nous marchions doucement. Il était tard. Je n'ai pas l'habitude d'être encore dans la rue à cette heure-là. Louise ne le tolérerait pas.

Pourtant, notre présence ne semblait choquer personne. En fait, la plupart des gens se berçaient dans l'ombre de leur galerie, interrompant par moments la conversation pour saluer les promeneurs qui arpentaient lentement le trottoir.

Arrivés devant la cordonnerie… Quoi ?

C'est pas vrai, dites-moi que je rêve ! Vous osez encore me demander où est située la cordonnerie ?

Et dire que j'ai pris la peine de dessiner un plan détaillé du village. Secouez-vous un peu! Faites marcher vos doigts! Non, mais c'est agaçant à la fin, vous m'interrompez tout le temps.

… Je disais donc… Ah oui! nous étions arrivés devant la cordonnerie (S.V.P. VOIR PLAN!) lorsque Martine a retrouvé l'usage de la parole:

— As-tu l'intention de t'inscrire au concours?

— Et toi?

— Je crois que je vais présenter un montage de photos d'oiseaux. Pourquoi ne pas tenter ta chance avec un dessin?

— J'aimerais autant écrire un texte.

— Comme tu veux. Mais je suis sûre que Sébastien Proulx a déjà une idée pour le sien. Tu n'as donc pas beaucoup de chance. Aussi bien que tu le saches tout de suite.

— Comment ça?

— C'est «la bolle» de l'école en français!

Et puis quoi encore! Il n'est pas le seul. Moi aussi, je suis champion. On allait voir ce qu'on allait voir…

Martine m'a regardé avec un de ses petits sourires en coin dont elle a le secret, mais elle n'a rien ajouté.

* * *

Finalement, hier, je suis allé déposer mon texte à la bibliothèque en compagnie de

Martine. Sur l'enveloppe scellée, j'avais inscrit mon pseudonyme: «L'étranger».

D'accord, ce n'est pas très subtil, mais c'est tout ce que j'ai trouvé. Il faut dire que j'étais un peu à court d'inspiration après avoir bûché ferme pendant dix jours sur «Les oiseaux de notre région».

Devinez qui nous avons croisé dans l'escalier? C'est ça! Le roi des twits: Sébastien Proulx. En personne!

— Salut Martine, ça va?

— Très bien. Et toi?

— Super! Avec l'argent du prix, je vais aller au Saguenay, en avion, passer une semaine chez ma cousine Julie.

De savoir que je concourais aussi dans la catégorie «texte» n'a pas semblé l'inquiéter le moins du monde. À l'entendre, c'était gagné d'avance.

Or, Louise m'a appris à ne jamais vendre la peau de l'ours avant de l'avoir tué…

* * *

Parlant de Louise, j'ai reçu une carte postale ce matin. En même temps qu'une lettre de Gino. C'est Julien qui est allé chercher le courrier. Parce que, moi, je fréquente le moins possible le bureau de poste. Question d'échapper aux interrogatoires de la postière.

Faut croire que Paul et Louise peuvent

très bien se passer de moi, car à part une autre carte postée de Paris à leur arrivée, j'étais sans nouvelles.

Aujourd'hui, cependant, au dos d'une jolie photo du mont Blanc, j'ai eu droit à un bulletin météorologique détaillé, suivi d'un: «J'espère que tu ne t'ennuies pas trop, mon poussin. Patience… dans deux semaines nous serons de retour. Grosses bises. Louise.»

J'avais beau fixer tour à tour le cachet de la poste et le calendrier électronique de ma montre, je n'en croyais pas mes yeux!

Moi, Luc Beaulieu, j'avais survécu TROIS SEMAINES à la campagne, sans cinéma… sans vidéo… et sans MacDo!

Si on m'avait dit ça au mois de juin, je ne l'aurais jamais cru!

Pas plus que je n'aurais cru qu'un gars sain d'esprit et intelligent comme Gino puisse s'intéresser à Sophie Rondeau! Pourtant, c'est ce qu'il m'écrit.

D'accord, je m'intéresse à Martine. Mais c'est différent.

Tandis que Sophie Rondeau… Franchement! Je me demande ce que Gino lui trouve.

Dire qu'il y a à peine un mois, elle me suivait partout comme mon ombre… Décidément, cette fille-là change facilement d'idée. À la place de Gino, je me méfierais.

Enfin… Ça ne regarde que lui. Moi, j'ai

d'autres chats à fouetter. Mes parents reviennent la semaine prochaine et, d'ici quarante-huit heures, les résultats du concours du C.E.D. devraient être connus. Quoi ? Vous croisez les doigts. C'est gentil. Qu'alliez-vous ajouter ?... Merd...

Surtout pas une lettre de plus ! Ça risquerait de choquer...

* * *

J'ai mal dormi la nuit dernière. Sans doute à cause de l'énervement provoqué par ce concours ridicule. À moins que ce ne soit à cause des quatre pointes de pizza avalées au souper !...

Quoi encore ? Vous dites que je n'ai que ce que je mérite ! Je voudrais bien vous y voir. La pizza de Fernande, c'est une tentation extra *large* !

Peu importe, au petit matin, j'avais les yeux ronds comme des soucoupes. Impossible de me rendormir.

Je n'avais pas envie de lire ni de dessiner. J'ai donc décidé de me lever et d'aller me promener un peu. Histoire de tuer le temps jusqu'au déjeuner.

Discrètement, je me suis glissé dans mes vêtements. J'ai descendu l'escalier, traversé la cuisine sur la pointe des pieds et je suis sorti.

Mais, avant de passer la porte, j'ai pris le temps d'enfiler les bottes de Julien.

J'ai jeté un coup d'œil du côté des Galano. Personne. À grandes enjambées, j'ai dépassé la boutique de grand-père et filé à travers champs jusqu'à la lisière du bois.

Désormais, ici, je suis en pays de connaissance et je peux identifier presque tous les oiseaux communs de la région. Beaucoup à cause du concours et, je l'avoue, un peu beaucoup pour épater Martine.

Mes connaissances ornithologiques ne se limitent plus aux moineaux et aux pigeons. Loin de là! Roselins, chardonnerets, hirondelles, juncos, fauvettes ou parulines, mésanges, carouges, orioles, étourneaux, gros-becs errants et jaseurs des cèdres... Amenez-en! Je les différencie tous. Sans oublier les geais bleus et les merles de même couleur. Évidemment.

À ma très grande surprise, j'ai trouvé Martine, assise au pied d'un pin, en train de peler une orange.

D'accord. D'accord. Je n'étais pas VRAIMENT surpris. Même que c'est un peu pour l'y rencontrer que j'avais entrepris cette promenade.

Dites-moi franchement, connaissez-vous une meilleure raison de patauger dans la rosée matinale?...

Pour une fois, nous sommes d'accord.

Au bruit de mes pas, Martine a tourné la tête vers moi et m'a souri.

Je me suis assis à ses côtés. Elle m'a tendu un quartier d'orange et sa tête a roulé sur mon épaule.

Qu'est-ce qui s'est passé ensuite avec « ta » Martine ? demandez-vous.

D'abord, que ce soit bien clair : elle n'est pas « ma » Martine. Comme me l'a fait remarquer Julien, lorsque je lui ai parlé de la réaction de Martine quand j'ai voulu la protéger des avances de Sébastien Proulx, personne n'appartient à personne. Même que chacun a droit à son jardin secret.

Aussi, inutile d'insister, vous ne saurez rien. Je ne suis pas comme Martin Laviolette qui passe son temps à se vanter de ses aventures avec les filles.

Ce qui s'est passé entre Martine et moi ne regarde personne d'autre que nous. Même pas Gino.

XII

Les résultats

Hip, hip, hip, hourra ! Martine et moi sommes attendus demain à dix-sept heures trente à *La Petite Sirène*. On nous a prévenus par téléphone.

Fernande et Julien ne sont pas peu fiers ! Mon petit doigt me dit que ça va être une soirée extraordinaire.

* * *

Il y a des jours comme ça où mon petit doigt est au-dessous de tout ! Les concours, c'est fini pour moi. TERMINÉ ! Je n'aime pas jouer les plantes vertes et c'est comme ça que je me suis senti du début à la fin de cette interminable cérémonie de remise des prix.

Même chose pour Martine.

* * *

Julien et Fernande avaient offert de nous conduire à Neuville. Ils profiteraient de l'occasion pour rendre visite à des amis.

Lorsqu'ils nous ont déposés devant le restaurant, Martine et moi débordions d'enthousiasme! Cinq minutes plus tard, nous nous sentions déjà de trop.

En entrant, nous avons eu la nette impression de nous être trompés de salle. Il y avait foule là-dedans. Tout le monde se bécotait et parlait en même temps. Personne ne faisait attention à nous.

Ça commençait mal. D'autant plus que je venais d'apercevoir Sébastien Proulx. Il fonçait vers nous, précédé d'une petite brune exubérante qui nous tendait les bras en nous appelant: « Mes chers lauréats! »

Au moins quelqu'un s'occupait de nous.

— Luc Beaulieu et Martine Galarneau, je suppose...

— Ga-la-no, a précisé Martine en détachant bien chaque syllabe.

— C'est ce que je disais, a enchaîné la petite brune, sûre d'elle-même. Nous sommes vraiment très fiers de vous avoir parmi nous ce soir!

Ce disant, elle nous a décorés d'un petit autocollant sur lequel était inscrit notre nom.

Bien entendu, celui de Martine avait été déformé. Elle a bien essayé de protester:

— Pardon, madame, mon nom c'est Ga-la-no.

La petite brune l'a dévisagée d'un air sceptique :

— T'es certaine ?

Martine n'en croyait pas ses oreilles !

— En tout cas, c'est ainsi qu'on m'appelle depuis ma naissance.

Sébastien Proulx, qui avait suivi la conversation, était mort de rire.

— C'est bien embêtant ça. Bien embêtant, a commenté la brunette, en nous abandonnant à notre table.

Croyez-le ou non, ce n'est qu'à vingt heures trente que le souper a été servi ! Et encore a-t-il fallu discuter pour avoir le droit de manger ce qui nous plaisait.

Au moment de prendre les commandes, une serveuse s'est approchée de notre table. Depuis que nous y étions installés, c'était la première personne à s'intéresser à nous :

— Pour les enfants, c'est une brochette de poulet. Qu'est-ce que vous allez prendre pour boire ? Du lait ?

Nous étions estomaqués !

— Est-ce qu'on a l'air de bébés de maternelle ? a demandé sèchement Sébastien Proulx.

— Non, non... a bredouillé la serveuse qui, visiblement, ne voulait pas avoir d'histoires avec nous.

— Alors, c'est parfait, a répliqué Sébastien,

avec naturel, apportez-moi… de la langouste et un café.

C'était le plat le plus cher au menu. J'ai donc opté, moi aussi, pour la langouste. Martine a fait de même.

Durant les trois heures qui avaient précédé le repas, j'avais eu amplement le temps de faire connaissance avec Sébastien.

Malgré ses airs de twit, il est supercrampant ! Je me demande d'ailleurs comment nous aurions tenu le coup sans lui. Car, pendant qu'il nous donnait un cours délirant sur l'art de plier artistiquement les serviettes en papier, ces messieurs-dames du C.E.D. se levaient à tour de rôle pour se présenter aux autres « cédistes ».

— Bonsoir. Je m'appelle Louisette Nadeau et je suis propriétaire de la boutique *La Goutte d'or* au centre commercial Neuville…

— Hum… Hum… Pardon. Je me présente. Je m'appelle Gérard Grondin et je suis propriétaire d'une flotte de camions à Saint-Antoine…

Je vous jure ! J'exagère à peine. Quant aux « chers lauréats », ils séchaient dans leur coin.

Quoi ?… Vous avez raison, c'est souvent le sort qui attend les plantes vertes.

Au bout de trois heures de bavardages et de présentations, nous pouvions enfin attaquer notre repas !

Nous avions à peine fini de l'avaler, quand la petite brune s'est souvenue de notre existence et est venue nous annoncer que le moment de la remise des prix approchait.

Il était temps! C'était précisément pour ça que nous étions venus.

Depuis le début de la soirée, une idée me tourmentait. Comme Sébastien et moi étions inscrits dans la même catégorie, il y avait forcément une erreur quelque part.

Vous me suivez? ... Bravo!

Or, plus la soirée avançait, plus j'étais convaincu que:

A) L'un de nous deux était de trop. _____
B) Que celui-là, c'était moi. _____
C) Qu'une surprise m'attendait. _____
D) Aucune de ces réponses. ——

(Cochez la ou les bonnes réponses.)

Je regrettais de ne pas avoir suivi le conseil de Martine en m'inscrivant dans la catégorie « dessin », plutôt que d'essayer de l'épater en m'attaquant à plus fort que moi. Ça m'apprendrait. À moins...

La petite brune avançait vers le micro:

— Mesdames, messieurs. Dans le cadre de notre grand concours ayant pour thème les beautés de la nature, le gagnant de la catégorie « dessin » est...

Dessin? Qui parle de dessin? Martine a présenté une photo… tandis que moi et…

— … Sébastien Proulx! Pour son œuvre au fusain intitulée: *La Noire*.

Du coup, je me suis mis à crier:

— Bravo! Félicitations!

Sébastien, souriant, m'a tendu la main:

— Ton grand-père passe son temps à répéter à tout le village que tu es le plus brillant de la classe en français. Alors j'ai mis toutes les chances de mon côté, j'ai présenté un dessin.

Martine et moi avons échangé un sourire complice.

* * *

Aussitôt la cérémonie terminée, nous nous sommes éclipsés. Sur la piste de danse, les « cédéistes » se déhanchaient.

Julien et Fernande nous attendaient à l'entrée en compagnie du père de Sébastien.

— Alors, ça s'est bien passé? a demandé grand-père.

—Ah! non! a hurlé Martine en tenant son trophée à bout de bras.

— C'était si terrible?

— J'aurais dû m'en douter! continuait Martine.

Mes grands-parents étaient de plus en plus intrigués.

— Regardez! Regardez ce qu'ils ont gravé sur la plaque: Martine GALARNEAU! Tu parles d'un souvenir! De toute façon, il est superquétaine ce trophée!

Je vous l'ai dit: Martine a horreur qu'on déforme son nom.

* * *

Voilà. Je suis de retour à la maison.

Paul avait raison. Un mois, c'est vite passé.

* * *

Dimanche matin, j'ai invité Martine à la boutique de Julien. Je voulais lui montrer la surprise que je lui avais préparée: des nichoirs à merles bleus de ma fabrication. Futés comme vous l'êtes, je suis sûr que vous l'aviez deviné.

Martine a souri et j'ai compris qu'elle était émue.

Nous avons mis les nichoirs dans un grand sac de toile avec quelques outils empruntés à grand-père et nous sommes partis ensemble vers l'ancienne voie ferrée.

Tel que promis, j'ai aidé à nettoyer les nichoirs existants. Ensuite, nous avons installé les nouveaux. L'avant-midi y a passé.

Après dîner, nous nous sommes baignés. D'une des branches du chêne, Orville nous observait.

Vers quinze heures, Sébastien est venu nous saluer avant son départ pour le Saguenay.

Mes parents sont arrivés au début de la soirée. Ils semblaient en pleine forme et n'avaient pas assez de mots pour raconter tout ce qu'ils avaient vu.

Ils rapportaient des souvenirs : un tire-bouchon en cep de vigne pour Julien. De gros sabots bretons pour Fernande.

— J'avais pensé à un carré de soie, s'est excusée Louise, mais Paul a tellement insisté pour t'acheter les sabots...

Fernande a encaissé, sans sourciller.

Des sabots contre un sombrero. Paul et Fernande étaient quittes. Pour le moment. J'aime mieux ne pas penser à ce que Fernande offrira à Paul, le printemps prochain...

Nous avons quitté Sainte-Geneviève très tôt ce matin, car mon père devait être au bureau à midi.

Quant à ma mère, elle ne reprend le travail que dans deux semaines.

Comme convenu, je suis allé dire au revoir à Martine.

J'ai cherché Orville du regard. Je ne l'ai pas vu. Peut-être était-il allé prendre un « bain de fourmis ».

Sur la galerie, madame Galano arrosait ses géraniums. Son mari était déjà parti au travail. Martine lisait près de la piscine. Tout était calme et le soleil brillait dans un ciel parfaitement bleu. Alors, je n'ai pu m'empêcher de penser que la campagne avait décidément beaucoup de charme...

* * *

Tout à l'heure, je suis passé voir Gino. Il était pressé. Il s'en allait à la Ronde avec Sophie Rondeau. La Ronde... Rondeau... Bon, je n'insiste pas.

Quant à Serge Plamondon et Pierre Lépine, ils ont formé un orchestre avec le grand Martin Laviolette et un autre gars. Ils répètent tous les jours dans le garage chez Serge.

Notre planche à roulettes traîne dans un coin du sous-sol, chez Gino. À côté, Spaghette dort sur la voile pliée en quatre.

Au fond, je pense que la planche ne m'intéresse plus autant qu'avant. D'ailleurs, je n'aurai pas beaucoup de temps pour ça.

Dans deux semaines, Julien et Fernande doivent nous rendre visite pour visionner les vidéos du voyage de mes parents. Ils ont promis d'emmener Martine. Grand-mère nous annoncera alors si elle tente sa chance à la mairie.

En tout cas, si jamais elle était élue, Sainte-Geneviève pourrait se vanter d'avoir un maire haut en couleur!...

Jusqu'à leur arrivée, je vais être très occupé par la construction de mangeoires d'oiseaux et…par la correspondance…

J'allais oublier. Si vous décidez d'aller faire une balade du côté de Sainte-Geneviève, pensez à emporter mon plan. Vous verrez, c'est vraiment un beau village. Je crois même que, sans m'en apercevoir, j'en suis tombé amoureux.

Quoi?… Qui a dit « mon œil » ?

FIN

Table des chapitres

ÉCHOS
une collection à trois niveaux

Spécialement pensée pour les adolescents, la collection ÉCHOS vous propose trois niveaux de lecture, aux difficultés variables, spécialement adaptés à vos goûts et à vos préoccupations.

- **Niveau I :**   12 ans et plus
- • **Niveau II :**   14 ans et plus
- • • **Niveau III :** pour les jeunes (et moins jeunes) adultes

(Ces références sont données à titre indicatif, le niveau de lecture variant sensiblement d'un lecteur à l'autre.)

La collection ÉCHOS met en évidence tout le talent et le dynamisme des écrivains de chez nous. Elle propose plusieurs genres et plusieurs formes afin que chaque lecteur puisse y trouver de quoi combler ses préférences : romans, contes, nouvelles, science-fiction, aventures, histoire, humour, horreur, mystère… au choix de chacun !

Reflet de notre époque, la collection ÉCHOS espère servir de prétexte à un partage privilégié entre différentes générations.

COLLECTION ÉCHOS

Niveau I

Un été en ville par Odette Bourdon
La chasse aux vampires par André Lebugle,
    (finaliste prix *Logidec* 1993)
Drôle de Moineau par Marie-Andrée Boucher Mativat,
    (prix *Monique-Corriveau* 1992)
Un voyage de rêve par Danielle Simard

Niveau II

L'empire chagrin par Camille Bouchard
Pleine crise par Claudine Farcy,
    (prix *Alvine-Bélisle* 1992)
Le paradis perdu par Jean-Pierre Guillet
Destinées par Jean-Pierre Guillet
Le Gratte-mots par Marie Page
Le Cercle de Khaleb par Daniel Sernine,
    (prix *Logidec* 1992 et prix « *12-17* » 1992)
Ludovic par Daniel Sernine
Élisabeth tombée au monde par Marie-Andrée
    Warnant-Côté

Niveau III

L'Atlantidien par Pierre Chatillon
Ailleurs plutôt que demain par Laurent Lachance
Colomb d'outre-tombe par Michel Savage
Les Portes mystérieuses par Daniel Sernine

ACHEVÉ D'IMPRIMER
EN JANVIER 1994
SUR LES PRESSES DE
PAYETTE & SIMMS INC.
À SAINT-LAMBERT, P.Q.